Catalogage avant publication de Bibliothèque et Archives nationales
du Québec et Bibliothèque et Archives Canada

Gravel, François

   Du soccer extrême!

   (Les histoires de Zak et Zoé; 1)
   Pour enfants de 8 à 10 ans.

   ISBN 978-2-89591-102-9

   I. Germain, Philippe, 1963- . II. Titre.

PS8563.R388D8 2010   jC843'.54   C2009-942517-3
PS9563.R388D8 2010

Tous droits réservés
Dépôts légaux: 3e trimestre 2010
Bibliothèque et Archives nationales du Québec
Bibliothèque et Archives Canada
ISBN 978-2-89591-102-9

© 2010 Les éditions FouLire inc.
4339, rue des Bécassines
Québec (Québec) G1G 1V5
CANADA
Téléphone: (418) 628-4029
Sans frais depuis l'Amérique du Nord: 1 877 628-4029
Télécopie: (418) 628-4801
info@foulire.com

Les éditions FouLire reconnaissent l'aide financière du gouvernement du
Canada par l'entremise du Programme d'aide au développement de l'industrie
de l'édition (PADIÉ) pour leurs activités d'édition. Elles remercient la Société
de développement des entreprises culturelles du Québec (SODEC) pour son
aide à l'édition et à la promotion.

Gouvernement du Québec – Programme de crédit d'impôt pour l'édition de
livres – gestion SODEC.

Les éditions FouLire remercient également le Conseil des Arts du Canada de
l'aide accordée à leur programme de publication.

IMPRIMÉ AU CANADA/PRINTED IN CANADA

Les histoires de **Zak** et **Zoé**

Du soccer extrême !

François Gravel

Illustrateur : Philippe Germain

Chapitre 1
Une idée géniale

Mon enseignante zozote. Elle a du mal à prononcer les Z. Comme je m'appelle Zak et que ma meilleure amie s'appelle Zoé, elle ne peut pas nous gronder. Si elle disait « Zak et Zoé, taisez-vous, sinon vous aurez zéro ! », ça lui chatouillerait le bout de la langue et ça la ferait rire. C'est difficile d'avoir l'air fâché quand on rit, surtout si toute la classe rit en même temps.

Comme nous aimons bien lire des histoires, Zoé et moi, madame Mélissa nous a installés au fond de la classe, tout près du coin-lecture. Un jour, elle a eu une idée zéniale – oups! je veux dire géniale: elle nous a demandé de former une équipe et de lui soumettre un projet.

Au début, nous ne savions pas quoi faire, alors nous avons parlé de ce qui nous intéressait pour apprendre à mieux nous connaître.

Zoé m'a dit qu'elle adorait les biscuits aux raisins, les histoires de princesses et les vacances de Noël, parce qu'elle peut faire du ski. Moi, j'aime plutôt les biscuits aux brisures de chocolat, les histoires de dragons et les vacances d'été, parce qu'elles sont longues, et que je peux pratiquer mes sports préférés.

Depuis quelque temps, je joue au soccer. Je ne suis pas le meilleur joueur de mon équipe, mais je travaille fort pour m'améliorer. Mon problème, c'est que mon entraîneur ne me laisse jamais jouer longtemps. Ce n'est pas en restant assis sur le banc que j'apprendrai à botter le ballon !

Zoé a réfléchi un moment en se tortillant les sourcils, puis elle m'a dit:

Attends un peu, je viens d'avoir une idée pour commencer notre projet!

Elle m'a expliqué son idée, et je dois admettre que c'est vraiment zénial!

Chapitre 2
Une drôle de machine

Samedi matin, Zoé vient chez moi avant le match de soccer. Elle me montre la machine qu'elle a inventée pour m'aider à mieux jouer. C'est une boîte de carton qu'elle a décorée avec des images découpées dans des revues. Il y a un chat, une automobile de course, une tondeuse à gazon, une fusée, un masque de gardien de but et une couronne de princesse. Quand je lui demande pourquoi elle a choisi ces images, elle me répond que ce n'est pas important.

– Ce qui compte vraiment, me dit-elle, c'est ceci!

En disant ces mots, elle déploie une antenne.

– Grâce au bouton qui est ici, m'explique-t-elle, j'entendrai tout ce que tu diras, même si tu es à l'autre bout du terrain. Et avec ce bouton-là, je mettrai en marche le dispositif qui se trouve à l'intérieur de ma machine, et que je ne peux pas te montrer pour le moment.

– Pourquoi pas?

– Parce que c'est un secret. Mais tu le verras en temps et lieu, c'est promis.

Je suis un peu frustré par sa réponse, mais je n'ai pas vraiment le temps de la questionner davantage. Et pour dire la vérité, je suis sûr que sa machine ne fonctionnera jamais!

– Maintenant, il faut établir notre code secret, poursuit Zoé. Chaque fois que tu auras besoin de mon aide, tu diras «zigoto», d'accord?

– Pourquoi «zigoto»?

– Parce que c'est un drôle de mot et parce que ça commence par un Z. J'ai aussi bien d'autres raisons de l'avoir choisi, mais ton match commence dans 15 minutes, et il faut être à l'heure. Je n'ai pas envie que ton entraîneur t'empêche de jouer parce que tu es arrivé en retard!

Chapitre 3
Un entraîneur antipathique

Nous arrivons à 10 heures pile au terrain de soccer, où je rejoins mon équipe. Nous commençons par une courte période d'échauffement. M. Didier, notre entraîneur, nous encourage à sa manière:

Courez plus vite, bande de fainéants!
Qui est-ce qui m'a donné cette équipe de
pâtes molles? Une vraie bande de nouilles!
Un peu de nerf, Xavier! As-tu peur
du ballon, Mégane? Sers-toi de ta tête,
Zak!

Quand il a fini de se défouler sur nous, il nous réunit en demi-cercle pour désigner les partants et établir ce qu'il appelle son plan de match.

– Xavier sera gardien de but, lance-t-il.

Nous ne sommes pas étonnés par cette annonce : Xavier est le fils de M. Didier, et c'est toujours lui qui garde les buts.

– Peut-être qu'il réussira à faire un ou deux arrêts, aujourd'hui, poursuit M. Didier. Ce serait vraiment un coup de chance! Ha! ha! ha!

Personne n'est surpris non plus par ce commentaire. M. Didier essaie toujours de nous dénigrer, comme vous l'avez sûrement remarqué. Peut-être imagine-t-il que nous allons mieux jouer si nous sommes fâchés contre lui. Peut-être aussi souffre-t-il d'une étrange maladie qui le rend allergique aux compliments. Peut-être vient-il d'un pays où tous les gens sont comme lui, ou peut-être même d'une autre planète où les compliments sont interdits.

Il faut avouer que nous ne sommes pas très bons. Nous n'avons pas gagné un seul match depuis le début de la saison. Plus nous perdons, plus notre entraîneur se fâche, et plus il se fâche, plus nous perdons.

– Zak, Tommy et Mathieu, vous allez jouer à la défensive, poursuit-il. J'espère que vous savez que les passoires sont des ustensiles de cuisine et qu'on n'en a pas vraiment besoin pour faire du sport... Ha! ha! ha!

Cette blague ne nous étonne pas beaucoup : il la répète chaque semaine. Ce qui nous surprend chaque fois, par contre, c'est qu'il la trouve drôle. Disons plutôt qu'il fait semblant de rire : quand il fait ses « Ha ! ha ! ha ! », rien ne bouge sur sa figure. Je ne l'ai jamais vu sourire. Peut-être que, sur sa planète, les gens croient que les sourires font craquer les visages.

– David, Mégane, Noémie et Raphaël, vous jouerez milieu de terrain. Enfin, jouer est un bien grand mot. Essayez seulement de ne pas avoir l'air trop ridicules, ce sera déjà beaucoup. Liliane, André et Ali seront mes attaquants. Tout ce que je vous demande, c'est de ne pas trop me faire honte.

Il n'y a rien d'inattendu là non plus :
ces trois-là sont nos meilleurs joueurs.
Ce sont les seuls qui sont assurés de
jouer toute la partie, et les seuls aussi
qui peuvent espérer entendre M. Didier
dire : «Ouais, c'est pas mal...» ou alors :
«Il commence à être temps que vous
fassiez quelque chose d'intelligent!»

Jules, Abel et Alex, vous serez mes substituts. Aussitôt qu'un joueur commettra une erreur, vous irez le remplacer. Ça ne devrait pas tarder. Ha! ha! ha!
Et maintenant, voici mon plan de match: essayez d'éviter le désastre total. Contentez-vous d'une catastrophe, comme d'habitude! Ha! ha! ha! Allez-y, bande d'incapables!

Au moment d'entreprendre le match, je me mets à espérer que la machine de Zoé fonctionne vraiment. Si c'est le cas, M. Didier sera abasourdi par les performances de son équipe!

Chapitre 4
Une montée électrisante!

L'arbitre met le ballon en jeu et un joueur de l'autre équipe s'en empare aussitôt. Il déjoue un de mes coéquipiers, puis un autre, et fait une longue passe à un de ses ailiers, qui fonce dans ma direction.

Il est au moins deux fois plus grand que moi et dix fois plus habile avec le ballon. Que dois-je faire? Si je m'avance vers lui, il me déjouera facilement. Si je reste là, il me déjouera encore plus facilement. Voici le moment de faire appel à Zoé.

Zigoto!

À peine ai-je dit ce mot qu'une immense flaque de boue apparaît sur le terrain. C'est vraiment étrange, puisque le sol est sec partout ailleurs. Mon adversaire glisse et perd le contrôle du ballon, qui roule lentement jusqu'à moi. Je ne sais pas si Zoé y est vraiment pour quelque chose, mais ça tombe drôlement bien!

Je fais quelques pas avec le ballon, et je vois un autre garçon foncer vers moi. Il est très grand, lui aussi, et il court très vite. Il va réussir à m'enlever le ballon, c'est sûr. À moins que...

Zigoto!

Une autre flaque de boue apparaît, plus petite que la première, mais celle-ci gèle aussitôt pour former de la glace! Le joueur qui fonçait vers moi fait de grands moulinets avec ses bras pour éviter de perdre l'équilibre et il fait tomber un de ses coéquipiers du même coup, me libérant ainsi le passage.

La machine de Zoé est vraiment extraordinaire! Il faut absolument qu'elle m'explique comment ça fonctionne! Mais pour le moment, j'ai mieux à faire. Je botte le ballon devant moi et je me lance à sa poursuite, de plus en plus confiant. Je suis maintenant au centre du terrain.

Un autre joueur vient vers moi, mais

son lacet se défait et il perd une de ses chaussures.

Le joueur suivant n'a pas plus de chance:

son short lui tombe sur les genoux. S'il y avait un commentateur comme au soccer professionnel, il parlerait sans doute d'une montée électrisante!

Me voici devant le défenseur. Je crie encore

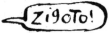

et j'entends « coin coin ! ». Qu'est-ce que c'est que ça ? Je lève les yeux et je vois des dizaines de canards qui volent au-dessus du terrain. Le défenseur lève la tête pour les regarder passer lui aussi, et j'en profite pour le déjouer. Comment Zoé a-t-elle bien pu faire apparaître une volée de canards juste au bon moment ?

Je n'ai pas le temps d'y penser. Me voici seul devant le gardien de but. J'ai envie de dire «zigoto», mais je préfère ne pas utiliser la machine cette fois-ci : si je compte un but, ce ne sera pas par magie, mais grâce à mes efforts.

Je shoote de toutes mes forces... et le ballon aboutit tout droit sur le poteau! Je cours pour m'emparer du retour, mais le gardien va y arriver avant moi. Tant pis pour lui :

Zigoto!

Il ne se passe rien du tout! La machine de Zoé serait-elle tombée en panne?

Le gardien saisit le ballon et tente un dégagement, mais un grand coup de vent ramène le ballon vers son but, le fait passer par-dessus sa tête et retomber derrière lui! Comme je suis le dernier joueur de mon équipe à avoir touché le ballon, l'arbitre me crédite du but, mon premier de la saison!

Je retourne vers les lignes de touche, fier de mon coup. Mes coéquipiers sont encore ahuris, et je les comprends, mais ils finissent par me féliciter. J'entends des «Wow! Quelle belle montée!» «Qu'est-ce que tu as mis dans tes céréales ce matin pour courir comme ça?» Je sais bien que ces compliments ne sont pas vraiment mérités, mais ça fait plaisir quand même!

Le seul qui n'a pas l'air content, c'est M. Didier. C'est pourtant la première fois de la saison que nous prenons les devants dans un match! Ça confirme ce que je pensais: sur la planète d'où il vient, les sourires sont interdits!

On ne t'a jamais appris à passer le ballon? Le soccer est un sport d'é-qui-pe! Un sport col-lec-tif! Il se joue en grou-pe! Combien de fois faudra-t-il vous le répéter?

Voici encore une chose qui ne me surprend pas : quand il est fâché contre nous, M. Didier sépare les syllabes des mots, comme s'il s'adressait à des débiles.

Je préfère regarder dans les estrades, où j'aperçois Zoé. Elle m'adresse un clin d'œil, et je lui réponds en lui montrant mon pouce. Si sa machine continue à si bien fonctionner, on n'a pas fini de s'amuser !

Chapitre 5
Un match enlevant!

M. Didier croit que le soccer est un sport col-lec-tif? Aucun problème! Il n'y a pas de raison pour que je sois le seul à profiter de la machine de Zoé. Contrairement à M. Didier, mes coéquipiers m'ont félicité, eux! Pourquoi ne pas les remercier à ma façon?

Zoé a dû se dire la même chose que moi, j'imagine, parce que je n'ai même plus besoin de dire *zigoto!* pour que de drôles de choses arrivent.

Dès la remise en jeu, Ali s'empare du ballon et fait une longue passe à André, qui le reçoit sur la tête. D'un coup de front, il lance le ballon à Liliane, qui le reçoit elle aussi directement sur la tête. Elle donne un coup de front à son tour, et le ballon continue à se déplacer de tête en tête, sans jamais toucher le sol, de Liliane à David à Mégane à Noémie à Raphaël à Tommy à moi à Mathieu à Xavier à Mathieu à Tommy à Raphaël à Noémie à Mégane à David à Liliane à André et enfin à Ali, qui n'a pas quitté sa position au milieu du terrain.

Nos adversaires restent figés sur place, bouche bée, et regardent le ballon se promener au-dessus de leurs têtes, sans pouvoir y toucher. Ils doivent se demander s'ils n'affrontent pas une équipe de sorciers !

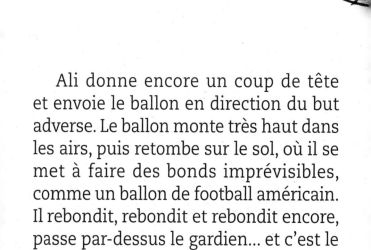

Ali donne encore un coup de tête et envoie le ballon en direction du but adverse. Le ballon monte très haut dans les airs, puis retombe sur le sol, où il se met à faire des bonds imprévisibles, comme un ballon de football américain. Il rebondit, rebondit et rebondit encore, passe par-dessus le gardien... et c'est le but !

On n'a jamais vu un tel jeu dans toute l'histoire du soccer, j'en suis convaincu. Cette fois, M. Didier n'a aucune raison de se plaindre : nous avons fait des passes, nous nous sommes servis de nos têtes et nous menons 2 à 0! Que peut-il nous reprocher?

Pourtant, il n'a pas l'air content du tout. Nous l'entendons hurler sur la ligne de touche :

– Qu'est-ce que c'est que ce cirque? On ne vous a jamais dit qu'il fallait courir pour jouer au soccer? Vous n'arriverez jamais à rien si vous ne vous bougez pas! Je veux vous voir courir, bande de nouilles trop cuites!

Inutile de dire que nous ne sommes pas vraiment surpris par sa réaction.

À la reprise du jeu, je décide de ne plus utiliser la machine de Zoé. M. Didier ne se doute de rien parce qu'il est trop occupé à bougonner, mais les spectateurs vont soupçonner quelque chose si nous continuons à faire des jeux loufoques. Et puis ce ne serait pas tellement gentil pour l'équipe adverse de l'écraser 50 à 0. Ce ne serait pas gé-né-reux de notre part, comme dirait M. Didier.

NOUILLES TROP CUITES

Une fois de plus, il semble que Zoé pense comme moi, puisqu'elle n'intervient plus dans la partie. Intimidés par nos performances du début de match, nos rivaux n'osent pas trop se porter à l'attaque mais, petit à petit, ils commencent à se sentir plus confiants. Ils nous déjouent sans que des flaques de boue apparaissent devant eux, se font des passes qui se rendent à destination et marquent bientôt un but. Le score est maintenant de 2 à 1.

Tout ce qui m'intéresse maintenant, c'est de me tenir le plus loin possible de M. Didier, qui ne cesse jamais de nous encourager en nous traitant de bougres de chiffes molles, de poules mouillées et de tartes à la guimauve.

chiffes Molles

TARTES À LA GUIMAUVE

poules Mouillées

Mes coéquipiers réagissent comme moi : plus M. Didier crie, moins nous avons envie de nous démener pour lui faire plaisir.

Nous ratons nos passes, nous jouons sans conviction, et nos adversaires en profitent. Ils restent de longs moments dans notre territoire en contrôlant le ballon et finissent par égaliser la marque.

– Vous n'êtes même pas capables de conserver une avance ! nous crie M. Didier. Bande de nuls ! Vous êtes des zéros ! Des incapables ! Des rien du tout ! Des néants absolus ! Des nullités totales !

S'il y a un domaine dans lequel M. Didier excelle, c'est dans les synonymes. Il a un vocabulaire très étendu.

Je réagis en laissant un joueur de l'autre équipe marquer encore un but. Notre entraîneur se déchaîne :

Bande de fainéants ! Savates !
Chaussettes ! Molassons ! Guenilles !
Lavettes ! Andouilles !

Cette fois-ci, ça suffit. Je décide de ne plus l'écouter et de m'amuser un peu. Ali s'empare du ballon, le passe à Jules, qui le renvoie à Liliane, qui le passe à Alex, qui réussit à s'échapper. Il court aussi vite qu'il peut, mais il est malheureusement un peu lent et un adversaire se lance à sa poursuite comme un bolide. Il rattrapera sans doute Alex très bientôt, mais...

Le défenseur adverse trébuche, en même temps que son gardien. Alex lance... et il égalise le pointage!

Quelques instants plus tard, je compte le but de la victoire: les joueurs font le mur devant moi, mais...

je réussis à botter le ballon par-dessus leurs têtes et il va se loger dans le coin supérieur droit du filet. Même Zidane n'aurait pas fait mieux!

L'arbitre signale alors la fin de la partie, et nous devons rejoindre notre entraîneur pour la réunion d'après-match. J'espère qu'il sera content de nos performances !

Chapitre 6
Un discours inspirant

Nous sommes réunis en demi-cercle autour de notre entraîneur, qui nous demande de poser un genou sur le sol. Il aime beaucoup que nous soyons à genoux devant lui. Peut-être se sent-il plus grand ainsi.

Les joueurs se félicitent entre eux, mais ça ne semble pas lui plaire. Il nous fait de gros yeux, et nous comprenons bientôt qu'il ne nous parlera pas avant que nous observions un silence absolu. Nous finissons par pencher la tête : peut-être craint-il que nos sourires soient contagieux et que le visage lui craque ?

Il finit par nous adresser la parole en faisant les cent pas, tout en plissant le front pour avoir l'air sérieux.

J'espère que vous n'êtes pas fiers de vous! Vous avez remporté la victoire, certes, mais la victoire n'est pas tout! Ce qui importe, c'est de retenir mes leçons. Si je n'avais pas été là pour vous enseigner les grands principes de ce jeu, vous auriez subi une autre défaite cuisante et humiliante! Combien de fois faudra-t-il vous répéter que le soccer est un sport d'é-qui-pe? Un sport col-lec-tif!

Cette fois-ci, j'en ai assez. Je regarde le ciel comme si je cherchais quelque chose, puis je tourne ma tête vers Zoé, qui a encore sa machine posée sur les genoux. Comprendra-t-elle ce que j'attends d'elle ? Je crois que oui : elle regarde le ciel à son tour, puis m'adresse un clin d'œil. Je chuchote :

et j'obtiens bientôt le résultat que j'attendais.

– Coin coin coin !

Un canard arrive de nulle part et vient tourner autour de M. Didier. Soudain, il fonce vers lui comme s'il allait l'attaquer, puis remonte au dernier moment. Juste avant de changer de direction, cependant, il a réussi à... hum... à pondre un œuf, disons. Vous savez, ces œufs blancs, sans coquille, que les oiseaux laissent parfois tomber du haut des airs ? Eh bien, c'est un œuf de ce genre qui tombe sur l'épaule de M. Didier, qui ne la trouve pas drôle du tout.

Ce qui est encore moins drôle pour lui, c'est que ce canard n'était qu'un éclaireur. Nous voyons maintenant arriver une volée formée de dizaines et de dizaines de canards qui foncent dans sa direction.

M. Didier va bientôt apprendre que les canards n'ont peut-être jamais eu d'en-traî-neurs, mais qu'ils sont très doués pour travailler en é-qui-pe!

Chapitre 7
Deux zamis !

– Il y a quelque chose que je n'ai pas bien saisi, dis-je à Zoé quand nous nous revoyons à l'école, le lundi suivant.

– Quoi donc ?

– Comment as-tu fait pour deviner que je souhaitais voir apparaître des flaques de boue, de la glace ou des canards ? Je n'avais qu'à dire *zigoto* !, et tout ce que j'espérais arrivait !

– Toi et moi sommes des amis, non ?

– Bien sûr !

– Eh bien, des amis, c'est comme ça. Ils se comprennent sans avoir besoin de se parler.

Je veux bien, mais ça ne me dit toujours pas comment fonctionne ta machine! Qu'est-ce qu'il y a dans ta boîte de carton?

Je suis prête à te révéler mon secret, mais à une condition.

– Laquelle?

– Je connais un entraîneur de baseball qui est encore pire que M. Didier. Que dirais-tu de lui donner une leçon?

– Je veux bien, mais comment? Je n'ai jamais joué au baseball de ma vie, et je ne suis même pas inscrit dans un club!

– Laisse-moi m'occuper de ces détails. Tu n'as qu'à me faire confiance.

Qu'est-ce que je devrais faire ? Sa machine a très bien fonctionné cette fois-ci, c'est vrai, mais qu'arriverait-il si elle tombait en panne ? Je n'ai aucune envie de me faire malmener par un entraîneur encore pire que M. Didier !

Ce qui m'embête, aussi, c'est que j'ai l'impression d'être une marionnette entre les mains de Zoé. Elle a de bonnes idées, c'est sûr, mais pourquoi serait-ce toujours à elle de tout décider ? Je réfléchis un moment, puis je lui donne ma réponse :

– J'accepte, mais à la condition que tu me laisses terminer cette histoire à ma façon !

– Qu'est-ce que tu veux dire ?

Je suis sur le point de raconter à Zoé ce que j'ai prévu pour le prochain chapitre, mais c'est précisément à ce moment-là que madame Mélissa s'avance vers nous.

– Qu'est-ce que vous avez tant à vous raconter, tous les deux? nous demande-t-elle. N'avez-vous pas un prozet… euh… je veux dire un projet, sur lequel travailler ?

– Nous avons presque terminé, madame !

Chapitre 8
Une agréable surprise

Une semaine plus tard, une surprise m'attend quand je me présente à mon entraînement de soccer. M. Didier n'est pas à son poste! Il a pourtant l'habitude d'arriver avant tout le monde pour préparer nos exercices. Il a peut-être bien des défauts, mais il est ponctuel.

Deux minutes avant le début de l'entraînement, il n'est toujours pas là. Tous les joueurs sont maintenant présents, sauf Xavier, le fils de M. Didier.

– J'espère qu'ils n'ont pas eu un accident! dit Mathieu.

Ce que j'espère, moi, c'est qu'il n'a pas décidé d'abandonner l'équipe à cause des événements du dernier match! M. Didier n'est peut-être pas le meilleur des entraîneurs, mais j'ai fini par m'habituer à lui. Ce n'est quand même pas sa faute s'il vient d'une planète où il est interdit de sourire! Comment ferons-nous pour nous entraîner sans lui? Qui va nous fournir les ballons?

Une minute avant l'heure, nous voyons un grand garçon frisé courir vers le terrain, un sac de ballons sur son épaule.

– Salut! nous dit-il après avoir repris son souffle. Je m'appelle Martin Latulippe, et je suis votre nouvel entraîneur. J'ai parlé avec M. Didier, qui m'a assuré que vous étiez de véritables champions. Vous m'avez l'air d'une bande de joyeux lurons! Je sens que nous allons bien nous amuser d'ici la fin de la saison!

– Qu'est-ce qui est arrivé à M. Didier ? demande Ali.

– On lui a offert un emploi extra-ordinaire dans une autre ville, et il n'a pas pu le refuser. Il a dû partir très vite avec toute sa famille, et il regrette beaucoup de ne pas avoir eu le temps de venir vous faire ses adieux.

– Quel est son nouveau travail ? veut savoir Noémie.

– Il a été engagé dans un grand journal pour aider les employés à trouver des synonymes. C'était le rêve de sa vie. Je crois qu'il n'a jamais été aussi heureux.

J'espère vraiment qu'il trouvera le bonheur dans son nouveau travail! J'espère aussi que madame Mélissa sera satisfaite de la fin que j'ai inventée pour cette histoire!

Mot sur l'auteur François Gravel

Zak et Zoé n'ont pas peur des défis! Surtout quand ils sont ensemble et qu'il s'agit de laisser aller leur imagination. Leur histoire de soccer est palpitante et beaucoup plus drôle que bien des vrais matchs de soccer! Ils donnent des coups de pied et des coups de tête, mais ils savent aussi nous ménager des coups de théâtre, du suspens et des fous rires! La combinaison gagnante pour te faire aimer la lecture et le soccer pour le restant de ta vie!

Mot sur l'illustrateur Philippe Germain

Tout comme François, Philippe aurait bien aimé jouer au soccer… avec une boîte magique! Quelle grandiose carrière il aurait fait, lui aussi. Par contre, pour faire ses illustrations, son imaginaire est presqu'une boîte magique. Particulièrement, lorsqu'il doit dessiner des personnages de mauvaise humeur. Il adore! De quoi semer la bonne humeur chez tous ces fans!

Auteur : François Gravel
Illustrateur : Philippe Germain

Série Sports extrêmes

1. Du soccer extrême !
2. Ça, c'est du baseball !
3. OK pour le hockey ! (printemps 2011)
4. Il pleut des records (printemps 2011)

Série Cinéma extrême

À venir